헨리와

머지

초록빛 계절 속에서

HENRY AND MUDGE IN THE GREEN TIME

Text copyright © 1987 by Cynthia Rylant
Illustrations copyright © 1987 by Suçie Stevenson

헨리 & 머지
초록빛 계절 속에서

초판 발행	2021년 1월 15일
글	신시아 라일런트
그림	수시 스티븐슨
번역및콘텐츠감수	정소이 박새미 유아름
콘텐츠제작참여	최선민 선생님(충남 보령 성주초) 김수정 선생님(경기 부천 부인초)
	권재범 선생님(충남 계룡 금암초) 박은정 선생님
책임편집	정소이 박새미 김보경
디자인	모희정 김진영
저작권	김보경
마케팅	김보미 정경훈
펴낸이	이수영
펴낸곳	(주)롱테일북스
출판등록	제2015-000191호
주소	04043 서울특별시 마포구 양화로 12길 16-9(서교동) 북앤빌딩 3층
전자메일	helper@longtailbooks.co.kr
ISBN	979-11-86701-70-6 14740

롱테일북스는 (주)북하우스 퍼블리셔스의 계열사입니다.

이 도서의 국립중앙도서관 출판예정도서목록(CIP)은 서지정보유통지원시스템 홈페이지(http://seoji.nl.go.kr)와 국가자료종합목록 구축시스템(http://kolis-net.nl.go.kr)에서 이용하실 수 있습니다. (CIP 제어번호 : CIP2020053038)

헨리와 머지

초록빛 계절 속에서

글 신시아 라일런트 | 그림 수시 스티븐슨

Contents

부록으로 제공되는 MP3 CD에는 '듣기 훈련용 오디오북'과 '따라 읽기용 오디오북'의 두 가지 오디오북이 담겨 있습니다.
'듣기 훈련용 오디오북'은 미국 현지에서 제작되어 영어 원어민들을 대상으로 판매 중인 오디오북과 완전히 동일한 것입니다.
'따라 읽기용 오디오북'은 국내 영어 학습자들을 위해서 조금 더 천천히 녹음한 것으로 '듣기 훈련용 오디오북'의 빠른 속도가 어렵게 느껴지는 초보 학습자들에게 유용할 것입니다.

소풍

여름에,

헨리와 그의 큰 개 머지는

소풍을 가는 것을 좋아했다.

헨리는 음식을 챙겼다.

그는 자신을 위해

잼 샌드위치,

배, 그리고 생강 쿠키를 챙겼다.

그는 머지를 위해

마른 개 사료와 팝콘을 챙겼다.

그들은 둘 다 물을 마셨다.

어느 일요일에 그들은
공원으로 소풍을 갔다.
헨리가 피크닉 테이블 위에
모든 음식을 놓는 동안,
머지는 나무 아래에서
개미 몇 마리를 쫓아다녔다.

머지는 너무 커서

녀석이 나무 주위를

뛰어다닐 때마다

녀석의 꼬리가 **휙!**

하는 소리를 냈다.

휙! 휙! 휙!

휙! 헨리는 녀석을 보며 웃었다.

그들은 곧 먹기 시작했다.

헨리는 그의 잼 샌드위치를 씹어 먹으면서

팝콘 몇 개를

머지의 입 속으로 던졌다.

머지는 소풍을 가면

항상 디저트를 먼저 먹는 것을 좋아했다.

그들이 먹고 있는 사이,
노란색 벌이 헨리의 배 위에
앉았다.
헨리는 그 벌을 보지 못했다.
헨리는 자신의 배를 집어 들었다.

"아야!" 헨리가 외쳤다.

머지가 펄쩍 뛰었다.

벌은 날아가 버렸다.

"아야! 아야! 아야!" 헨리가 외쳤다.

헨리는 자신의 손을 흔들고 또 흔들고

또 흔들었다.

하지만 그의 손은 점점 더 아팠다.

그것은 무척 아팠다.

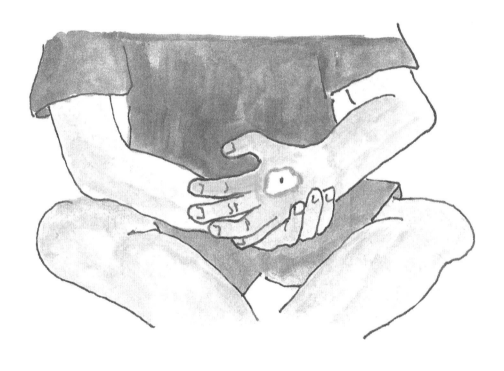

헨리의 눈에 눈물이 고였다.

그의 손은 정말 아팠다.

그 위로 부풀어 오른

흰색 원이 생겼다.

헨리는 그저 울 수밖에 없었다.
그는 머지 옆에 앉아서
자신의 아픈 손을 꼭 부여잡고
울었다.

머지는 헨리의 머리카락에 대고 킁킁거렸다.

머지는 헨리의 손에 대고 킁킁거렸다.

머지는 헨리의 귓속에

녀석의 큰 코를 집어넣었다.

하지만 헨리는 계속 울었다.

그때 머지가 헨리의 얼굴을 핥았다.

머지는 그 맛이 마음에 들었다.

그것은 짰다.

그래서 머지는 헨리의 얼굴을 핥고

또 핥고 또 핥고 또 핥았다.

헨리가 흘린 모든 눈물을

머지가 핥아 버렸다.

헨리는 울었고,

머지는 핥았고,

그리고 손은 아팠다.

하지만 잠시 후,

손은 아프지 않았고,

헨리는 울음을 그쳤고,

그리고 머지는 핥는 것을 멈췄다.

헨리는 머지를 쳐다보고 미소 지었다.

헨리는 생강 쿠키 한 개를 집어 들었다.

그는 한 입 베어 물고

나머지를 머지에게 주었다.

"고마워." 헨리가 말했다.

머지는 녀석의 꼬리를 흔들었고
또 다른 쿠키를 기다렸다.

목욕

더운 날이면 헨리는

머지를 목욕시키는 것을 좋아했다.

헨리는 그것을 좋아했는데

왜냐하면 그가

호스를 가지고 놀 수 있고

그가 열을 식힐 수 있기 때문이었다.

머지는 그것을 싫어했다.
머지는 자신이 언제
목욕하게 될지
알았다.

녀석은 헨리가
개 샴푸를 찾는 것을 보곤 했다.

그리고 헨리가 호스를 연결하는 것을
녀석이 보았을 때,
녀석은 계단 밑으로
숨으려고 했다.

하지만 그것은 전혀 소용이 없었다.

헨리는 머지를

햇빛이 내리쬐는

앞마당으로 데려갔고, 그는

호스로 녀석에게 물을 뿌리곤 했다.

머지는 그것을 싫어했다.

녀석의 눈이 축 처졌고,

녀석의 귀가 축 처졌고,

녀석의 꼬리도 축 처졌다.

녀석이 온통 젖었을 때,

녀석은 거대한 바다코끼리처럼 보였다.

헨리는 녀석을 보고 웃었다.

그리고 헨리는 녀석에게 비누칠했다.

헨리는 녀석의 머리와

녀석의 목과

녀석의 등과

녀석의 가슴과

녀석의 배와

녀석의 다리들

그리고 녀석의 꼬리를 문질러 씻겼다.

머지는 이 과정을

정말 싫어했다.

녀석은 훨씬 더 처진 모습이 되었다.

그다음에 헨리는

다시 머지에게 물을 뿌렸다.

하지만 헨리가

수건을 집기도 전에,

헨리가 머지를 닦아 주기도 전에,

머지는 항상 헨리에게 복수했다.

왜냐하면 헨리가

놓아주었을 때—

머지가 몸을 흔들기 시작했기 때문이다.

녀석은 자신의 머리부터 시작해서,

다음에는 자신의 목과

자신의 등과

자신의 가슴과

자신의 배와

자신의 다리들과

자신의 꼬리를 흔들었다.

머지가 너무 세게 털어서

녀석이 마쳤을 때는,

녀석은 거의 다 마르고,

헨리는 거의 다 젖었다.

그리고 나서 머지가 헨리를 보며

자신의 꼬리를 흔드는 동안

헨리는

수건으로

자신의 몸을 닦았다.

초록빛 계절

헨리의 집 옆에는

커다란 초록색 언덕이 있었다.

여름이 끝나갈 즈음,

헨리와 머지는

초록색 언덕의

꼭대기로 올라갔다.

그들은 아래를 내려다보았다.

그들은 헨리의 하얀색 집을 보았다.

그들은 헨리의 파란색 자전거를 보았다.

그들은 헨리의 나무로 된 그네를 보았다.

초록색 언덕 꼭대기에서,
헨리는 자신이 크게 느껴졌다.

그는 왕이 된 것 같았다.
그는 자기 아래에 있는
자신의 물건들을 보았고,
자신이 아주 크게 느껴졌다.

"나는 초록색 언덕의 왕이야."

헨리가 말했다.

그는 머지를 바라보았다.

"넌 나의 용이야."

머지가 녀석의 꼬리를 흔들었다.

"너의 이름은." 헨리가 말했다. "파이어볼이야."

머지가 다시 꼬리를 흔들었다.

"그리고 넌 아주 무섭지."

헨리가 말했다.

머지는 꼬리를 조금 더 흔들었다.

헨리와 머지는 초록색 언덕의

꼭대기 곳곳을

행진했다.

그들은 용을 가진

다른 왕들을 만났다.

헨리와 머지는 그들을 쫓아냈다.

그들은 괴물들도 만났다.

머지가 그것들을 먹어 치웠다.

그들이 더 이상 행진할 수 없을 때까지

그들은 행진하고

또 행진했다.

그때 그들은

초록색 언덕 위에 있는

마법 나무를 발견했다.

그것은

지친 왕들과 용들을 위한

나무였다.

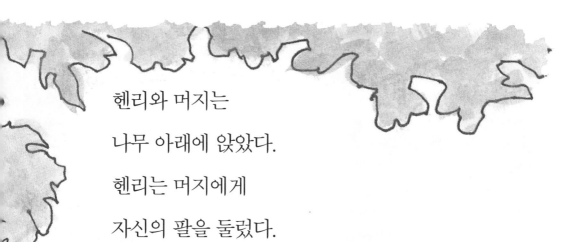

헨리와 머지는

나무 아래에 앉았다.

헨리는 머지에게

자신의 팔을 둘렀다.

그들은 마법 나무가 있어서

기뻤다.

그들은 자신들의 눈을 감았다.

그리고 소년과 개는

그들의 초록빛 계절을 보내며

초록색 언덕 위에서,

함께, 잠들었다.

Activities

영어 원서를 총 여섯 개의 파트로 나누어,
각 파트별로 다양한 액티비티를 담았습니다.

각 파트의 영어 원서 페이지는 롱테일북스에서 출간된
'롱테일 에디션'을 기준으로 합니다!
수입 원서와는 페이지 구성에 차이가 있으니 참고하세요.

VOCABULARY

여름

summer

소풍

picnic

(짐을) 싸다

pack

음식

food

배

pear

마른; 말리다

dry

둘 다

both

마시다 (과거형 drank)

drink

공원; 주차하다

park

식탁, 탁자

table

쫓다

chase

개미

ant

웃다

laugh

먹다

eat

조각

piece

후식

dessert

벌

bee

뛰다

jump

VOCABULARY QUIZ

1 그림에 맞는 단어를 퍼즐에서 찾아 표시하고 단어를 써 보세요.

y	l	e	l	a	u	g	h	d	i	s
h	a	o	n	n	d	m	a	y	c	t
p	i	e	c	e	g	h	m	e	n	d
i	l	t	e	z	e	b	e	j	l	r
c	j	e	z	p	a	r	k	i	i	i
n	e	n	r	a	n	g	e	f	v	n
i	y	d	e	s	s	e	r	t	x	k
c	w	h	p	n	a	n	e	t	w	e
a	u	j	t	b	z	s	e	a	l	j
h	a	q	e	e	z	s	n	i	k	y
s	u	m	m	e	r	o	t	l	e	a

piece
_____ _____ _____

_____ _____ _____ _____

2 그림에 맞는 단어를 연결하고 빈칸에 알맞은 알파벳을 넣어 보세요.

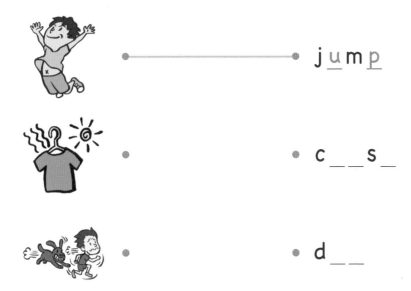

j u_m p

c _ _ s _

d _ _

3 글자를 바르게 배열하여 단어를 완성해 보세요.

e t a   r e u m s m   r e a p   l e b a t

eat

_____   _____   _____   _____

t o h b   c p k a   t a n   f d o o

_____   _____   _____   _____

WRAP-UP QUIZ

1 이야기의 순서에 맞게 그림을 배열해 보세요.

a

Henry packed some food for Mudge and himself to go on a picnic.

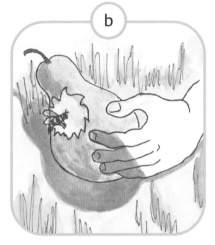

b

Henry did not see the bee sitting on his pear when he picked it up.

c

Mudge chased some ants under a tree.

d

Henry cried because his hand hurt, which made Mudge jump.

a ···▶ ◯ ···▶ ◯ ···▶ ◯

② 다음 질문에 알맞은 답을 선택해 보세요.

1) In which season did Henry and Mudge like to go on picnics?

    a. Spring

    b. Summer

    c. Autumn

2) What food did Henry pack for Mudge?

    a. Jelly sandwiches

    b. Popcorn

    c. Pears

3) What happened when Henry picked up his pear?

    a. A bee stung his hand.

    b. There were some ants on it.

    c. Mudge ate it.

③ 책의 내용과 일치하면 T, 그렇지 않으면 F를 적어 보세요.

1) Henry packed pears for the picnic.   _____

2) Mudge did not like dry dog food.   _____

3) Mudge was so big that his tail went *whack*.   _____

PATTERN DRILL

Henry and Mudge liked to go on picnics.
헨리와 머지는 소풍을 가는 것을 좋아했다.

헨리와 머지는 여름에 소풍을 가는 것을 좋아했어요. 그래서 여러 가지 간식을 싸서 소풍을 떠났지요. 이렇게 **"~하는 것을 좋아하다"**라고 말하고 싶을 때는 like to와 함께 동작을 나타내는 표현을 원래 모습 그대로 써요. like to 대신에 love to를 쓰면 무척 좋아한다는 뜻이 돼요.

like to + [동작]: ~하는 것을 좋아하다
love to + [동작]: ~하는 것을 (무척) 좋아하다

I like to travel by train.
나는 기차로 여행하는 것을 좋아한다.

They liked to eat popcorn.
그들은 팝콘을 먹는 것을 좋아했다.

Dogs love to take a walk.
개들은 산책하는 것을 좋아한다.

We loved to ride a bike.
우리는 자전거 타는 것을 좋아했다.

우리말과 뜻이 통하도록 네모 안에 들어 있는 말을 바르게 배열해 보세요.

1. 나는 춤추는 것을 좋아한다.

dance	I	like to
춤추다	나	~하는 것을 좋아하다

I like to _____ .

2. 그들은 야구 경기를 보는 것을 좋아했다.

loved to	they	baseball games	watch
~하는 것을 좋아했다	그들	야구 경기	보다

_____ .

3. 내 아버지와 나는 요리하는 것을 좋아한다.

my father and I	cook	like to
내 아버지와 나	요리하다	~하는 것을 좋아하다

_____ .

4. 나는 주말에 외출하는 것을 좋아한다.

go out	I	love to	on weekends
외출하다	나	~하는 것을 좋아하다	주말에

_____ .

5. 그는 그의 강아지를 쓰다듬는 것을 좋아했다.

he	pat	liked to	his puppy
그	쓰다듬다	~하는 것을 좋아했다	그의 강아지

_____ .

57

VOCABULARY

손

hand

아프다, 감정이 상하다
(과거형 hurt)

hurt

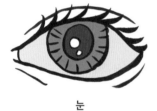

눈물

tear

눈

eye

부푼

puffy

흰색의

white

동그라미, 원

circle

울다, 외치다
(과거형 cried)

cry

킁킁거리다

sniff

코

nose

귀

ear

얼굴

face

맛

taste

멈추다 (과거형 stopped)

stop

미소 짓다; 미소

smile

한 입; 물다, 물어뜯다

bite

나머지; 쉬다

rest

쿠키

cookie

VOCABULARY QUIZ

1 알파벳을 연결해서 단어를 만들고, 알맞은 그림과 연결해 보세요.

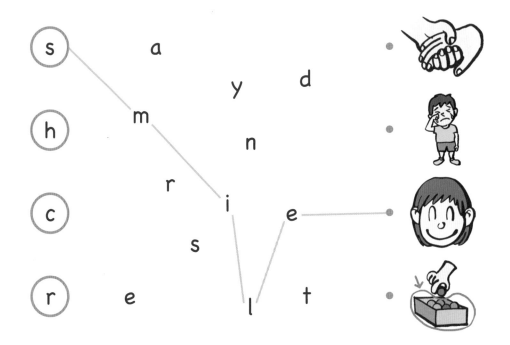

2 빈칸에 알맞은 알파벳을 넣어 단어를 완성해 보세요.

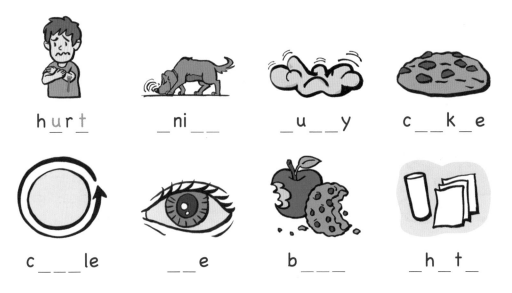

h u r t   _ n i _ _   _ u _ _ y   c _ _ k _ e

c _ _ _ l e   _ _ e   b _ _ _   _ h _ t _

3 그림을 보고 알맞은 단어를 넣어 퍼즐을 완성해 보세요.

→ Across

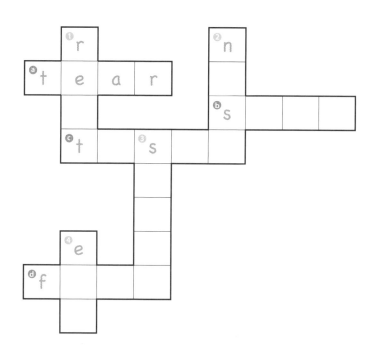

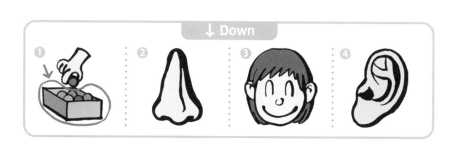

↓ Down

WRAP-UP QUIZ

1 이야기의 순서에 맞게 그림을 배열해 보세요.

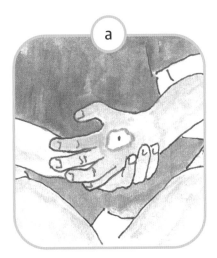

a

Henry's hand hurt so much because of a bee sting.

b

Henry and Mudge shared a gingersnap after Henry felt better.

c

Mudge licked away every salty tear on Henry's face.

d

Henry kept crying as Mudge sniffed him.

2 다음 질문에 알맞은 답을 선택해 보세요.

1) Which was NOT true about Henry's hand?
   a. It had a puffy white circle on it.
   b. It hurt so much that Henry had to cry.
   c. It did not hurt at all.

2) What did Mudge do for Henry when Henry cried?
   a. He licked Henry's hand.
   b. He sniffed Henry's hair.
   c. He just looked at Henry.

3) What happened when Henry stopped crying?
   a. Henry gave Mudge a cookie.
   b. Mudge kept trying to lick Henry's face.
   c. Henry and Mudge chased ants under the tree together.

3 책의 내용과 일치하면 T, 그렇지 않으면 F를 적어 보세요.

1) Henry's hand had a blue circle on it. _____

2) Mudge liked the taste of Henry's tears. _____

3) Henry gave Mudge a whole gingersnap. _____

Mudge waited for another cookie.

머지는 또 다른 쿠키를 기다렸다.

헨리에게서 쿠키를 받은 머지. 머지는 그것이 맛있었나 봐요. 그래서 헨리가 줄 다음 쿠키를 기다렸지요. 이렇게 **"~을 기다리다"**라고 말할 때는 wait for 뒤에 사람이나 사물 등의 대상을 써서 말해요.

wait for + [대상]: ~을 기다리다

We **wait for** breakfast.
우리는 아침 식사를 기다린다.

They **wait for** the bus.
그들은 버스를 기다린다.

I **wait for** my friend.
나는 내 친구를 기다린다.

The children **waited for** Christmas.
아이들은 크리스마스를 기다렸다.

우리말과 뜻이 통하도록 네모 안에 들어 있는 말을 바르게 배열해 보세요.

1. 나는 내 생일을 기다린다.

wait for	I	my birthday
~을 기다리다	나	내 생일

I wait for _____ .

2. 그들은 그들의 차례를 기다린다.

wait for	they	their turn
~을 기다리다	그들	그들의 차례

_____ .

3. 그는 시험 결과를 기다렸다.

the test result	waited for	he
시험 결과	~을 기다렸다	그

_____ .

4. 우리는 신호등을 기다렸다.

the light	we	waited for
신호등	우리	~을 기다렸다

_____ .

5. 사람들은 줄을 서서 아이스크림을 기다렸다.

waited for	people	in line	ice cream
~을 기다렸다	사람들	줄을 서서	아이스크림

_____ .

VOCABULARY

더운

hot

목욕시키다

give a bath

놀다, (게임을) 하다

play

물

water

호스

hose

식히다

cool off

싫어하다

hate

~을 찾다

look for

연결하다

hook up

숨다

hide

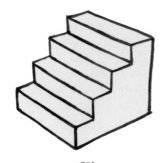

계단

steps

마당

yard

호스로 씻어내리다

hose down

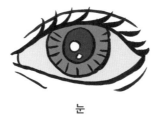

눈

eye

아래로 처지다

droop

꼬리

tail

젖은, 축축한

wet

바다코끼리

walrus

VOCABULARY QUIZ

1 그림에 맞는 단어를 퍼즐에서 찾아 표시하고 단어를 써 보세요.

w	a	l	r	u	s	g	h	d	m	g
a	a	z	a	f	d	m	a	h	c	t
t	i	e	d	e	g	h	m	o	a	p
e	l	t	p	r	p	w	z	s	d	k
r	j	p	s	k	n	a	s	e	y	e
n	e	d	r	o	o	p	e	f	v	c
i	y	a	t	s	f	e	a	q	e	r
c	w	h	p	d	g	j	e	j	w	k
a	u	a	t	b	z	s	t	e	p	s
h	a	t	e	f	z	s	n	i	h	y
s	w	e	t	e	r	o	f	l	e	a

 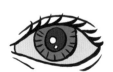  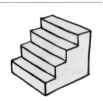

2 그림에 맞는 단어를 연결하고 빈칸에 알맞은 알파벳을 넣어 보세요.

　•　•　h____ up

　•　•　__se down

　•　•　g____ a bath

3 글자를 바르게 배열하여 단어를 완성해 보세요.

t o h　　y a l p　　l o c o　　o l o k

_____　_____　_____ off　_____ for

h d e i　　y d r a　　t l a i　　y e e

_____　_____　_____　_____

69

1 이야기의 순서에 맞게 그림을 배열해 보세요.

a

Mudge looked like a walrus when he was all wet.

b

Mudge knew when it was time for a bath.

c

Mudge's entire body drooped when Henry hosed him down.

d

Mudge tried to hide under the steps in order not to get a bath.

 ...▶ ...▶ ...▶

2 다음 질문에 알맞은 답을 선택해 보세요.

1) Why did Henry like to give Mudge a bath?
   a. He could play with Mudge.
   b. He could cool off.
   c. He could water the plants.

2) How did Mudge know he was going to get a bath?
   a. He saw Henry looking for the dog shampoo.
   b. He saw Henry getting some towels.
   c. He saw Henry untangling the hose.

3) What did Mudge look like when he was all wet?
   a. A mouse
   b. A walrus
   c. An elephant

3 책의 내용과 일치하면 T, 그렇지 않으면 F를 적어 보세요.

1) Henry did not like to give Mudge a bath.   _____

2) Mudge ran inside to avoid getting a bath.   _____

3) Mudge liked to play with the water hose.   _____

PATTERN DRILL

Mudge tried to hide under the steps.
머지는 계단 밑으로 숨으려고 했다.

목욕하는 것이 싫었던 머지는 헨리를 피해 계단 밑에 숨으려고 했어요. 이렇게 **"~하려고 하다"**, **"~하려고 노력하다"**라고 말할 때는 try to 뒤에 동작을 나타내는 표현을 써요. 이때 동작 표현은 항상 원래 모습이어야 해요.

try to + [동작]: ~하려고 노력하다

I try to tell the truth.
나는 진실을 말하려고 노력한다.

We try to run fast.
우리는 빨리 달리려고 노력한다.

She tried to get some sleep.
그녀는 잠을 좀 자려고 노력했다.
* 지나간 일에 대해 말할 때 try는 tried로 변해요.

They tried to give their dog a bath.
그들은 그들의 개를 목욕시키려고 했다.

우리말과 뜻이 통하도록 네모 안에 들어 있는 말을 바르게 배열해 보세요.

1. 나는 영어를 공부하려고 노력한다.

try to	I	English	study
~하려고 노력하다	나	영어	공부하다

I try to _____ .

2. 소방관들은 불을 끄려고 노력한다.

put out	try to	firefighters	the fire
끄다	~하려고 노력하다	소방관들	불

_____ .

3. 그는 모기들을 잡으려고 노력했다.

he	mosquitoes	catch	tried to
그	모기들	잡다	~하려고 노력했다

_____ .

4. 우리는 숙제를 끝내려고 노력했다.

our homework	we	tried to	finish
숙제	우리	~하려고 노력했다	끝내다

_____ .

5. 나는 내 어머니를 설득하려고 노력했다.

my mother	persuade	I	tried to
내 어머니	설득하다	나	~하려고 노력했다

_____ .

웃다

laugh

비누로 씻다

soap up

문지르다 (과거형 scrubbed)

scrub

목

neck

등; 뒤로

back

가슴

chest

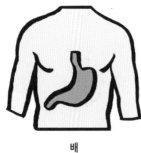

배

stomach

다리

leg

부분

part

더 많이

more

붙잡다

grab

수건

towel

마른; 말리다

dry

시작하다

start

흔들다 (과거형 shook)

shake

젖은, 축축함

wet

~을 보다

look at

흔들다 (과거형 wagged)

wag

VOCABULARY QUIZ

1 알파벳을 연결해서 단어를 만들고, 알맞은 그림과 연결해 보세요.

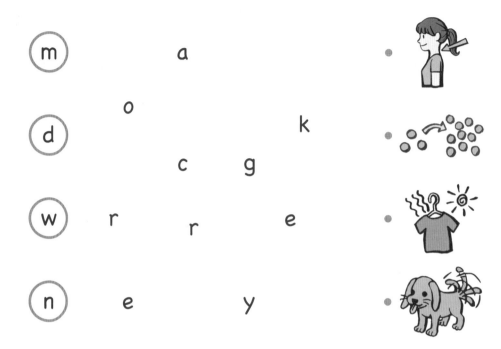

2 빈칸에 알맞은 알파벳을 넣어 단어를 완성해 보세요.

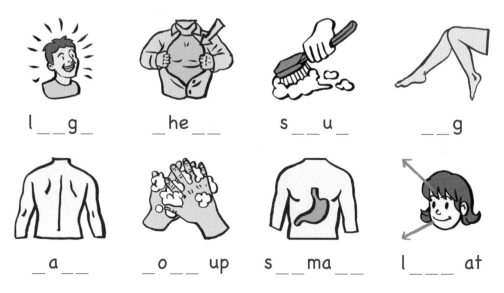

l __ g __   __ he __ __   s __ __ u __   __ __ g

__ a __ __   __ o __ up   s __ ma __ __   l __ __ at

3 그림을 보고 알맞은 단어를 넣어 퍼즐을 완성해 보세요.

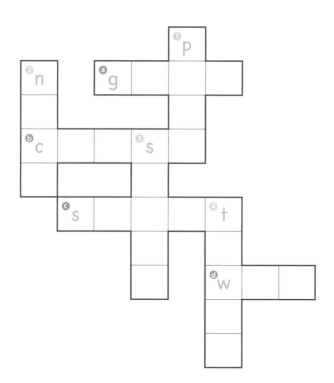

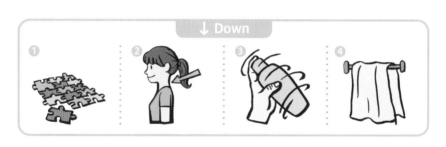

WRAP-UP QUIZ

1 이야기의 순서에 맞게 그림을 배열해 보세요.

a

Mudge shook the water off his body.

b

Henry scrubbed Mudge with soap.

c

Henry hosed Mudge down to remove the soap.

d

Henry had to dry himself with a towel.

 ···▶ ···▶ ···▶

2 다음 질문에 알맞은 답을 선택해 보세요.

1) How did Mudge react to being soaped up?
   a. Mudge loved it.
   b. Mudge hated it.
   c. Mudge enjoyed it.

2) What happened after Henry hosed Mudge down again?
   a. Mudge shook his entire body all over Henry.
   b. Mudge rubbed his entire body against dirty grass.
   c. Mudge sat on Henry and licked him.

3) What did NOT happen after Mudge got Henry back?
   a. Mudge wagged his tail.
   b. Henry dried himself with a towel.
   c. Henry yelled at Mudge.

3 책의 내용과 일치하면 T, 그렇지 않으면 F를 적어 보세요.

1) Mudge really hated the part when Henry soaped him up. _____

2) Henry dried Mudge with a towel. _____

3) Mudge shook so hard that he was mostly dry. _____

PATTERN DRILL

Mudge started shaking.
머지가 몸을 털기 시작했다.

깨끗하게 목욕을 끝낸 머지. 이제 물기를 말리는 일만 남았는데, 헨리가 수건으로 닦아 주기도 전에 머지가 몸을 털기 시작했어요. 이렇게 **"~하기 시작하다"**라고 말할 때는 **start**를 먼저 쓰고, 동작을 나타내는 표현에 ing를 붙여서 함께 써요.

start + [동작]ing : ~하기 시작하다

They **start** working.
그들이 일하기 시작한다.

The leaves **start** falling off the trees.
나뭇잎들이 나무에서 떨어지기 시작한다.

She **started** listening to music.
그녀는 노래를 듣기 시작했다.

People **started** looking at the picture.
사람들이 그 그림을 쳐다보기 시작했다.

우리말과 뜻이 통하도록 네모 안에 들어 있는 말을 바르게 배열해 보세요.

1. 그들은 웃기 시작했다.

started	they	laughing
시작했다	그들	웃는 것

They started ------------------------------------ .

2. 사람들이 그 선수들을 응원하기 시작했다.

started	cheering for	the players	the crowd
시작했다	~을 응원하는 것	그 선수들	사람들

------------------------------------ .

3. 그 개는 그의 손을 핥기 시작했다.

licking	started	the dog	his hand
핥는 것	시작했다	그 개	그의 손

------------------------------------ .

4. 그들은 음식을 배달하기 시작했다.

they	delivering	the food	started
그들	배달하는 것	음식	시작했다

------------------------------------ .

5. 그녀는 골프를 치기 시작했다.

playing	she	started	golf
치는 것(운동하는 것)	그녀	시작했다	골프

------------------------------------ .

VOCABULARY

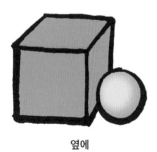

옆에

beside

초록색의

green

언덕

hill

여름

summer

꼭대기, 윗면

top

흰색의

white

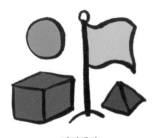

파란색의

blue

자전거

bike

나무로 만든

wooden

그네

swing

왕

king

아래에

below

용

dragon

흔들다 (과거형 wagged)

wag

꼬리

tail

이름

name

불덩이

fireball

무서운

scary

VOCABULARY QUIZ

1 그림에 맞는 단어를 퍼즐에서 찾아 표시하고 단어를 써 보세요.

```
x   a   b   e   s   i   d   e   u   h   g
c   a   e   y   f   d   m   a   u   l   t
b   i   l   x   e   g   g   m   e   g   a
l   a   o   z   z   e   r   y   l   k   s
u   j   w   u   k   n   e   s   y   e   f
e   e   d   f   i   r   e   b   a   l   l
p   y   a   t   s   f   n   a   q   e   r
w   h   p   s   d   j   v   e   a   h   k
d   r   a   g   o   n   t   h   j   p   s
a   t   e   v   f   t   s   w   i   n   g
w   o   o   d   e   n   t   u   q   e   a
```

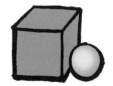

2 그림에 맞는 단어를 연결하고 빈칸에 알맞은 알파벳을 넣어 보세요.

b _ _ _ _

_ _ i _

s _ _ _ er

3 글자를 바르게 배열하여 단어를 완성해 보세요.

l l h i

_____

u b e l

_____

p o t

_____

n m e a

_____

n g i k

_____

t e h w i

_____

g a w

_____

y r s a c

_____

1 이야기의 순서에 맞게 그림을 배열해 보세요.

a

On top of the big green hill, Henry felt like a king.

b

Henry said that Mudge was his dragon.

c

Henry and Mudge looked down from the top of a big green hill.

d

Henry said that Mudge was a scary dragon named Fireball.

2 다음 질문에 알맞은 답을 선택해 보세요.

1) What was beside Henry's house?
   a. A big green hill
   b. A big tower
   c. A big puddle

2) What did Henry feel like on top of the green hill?
   a. A dragon
   b. A king
   c. A prince

3) What did Henry call Mudge?
   a. He called Mudge Firework.
   b. He called Mudge Fireball.
   c. He called Mudge Firefly.

3 책의 내용과 일치하면 **T**, 그렇지 않으면 **F**를 적어 보세요.

1) On the top of the green hill, Henry looked up at the sky. _____

2) Henry could see his house from the hill. _____

3) Mudge saw a scary dragon on the green hill. _____

PATTERN DRILL

Henry felt like a king.
헨리는 왕이 된 것 같았다.

헨리의 집 근처에 있는 커다란 초록색 언덕. 그 언덕에 올라서면 헨리는 왕이 된 것 같은 기분이 들었어요. 이렇게 **"~이 된 기분이다"**라고 말하고 싶을 때는 feel like 다음에 사물이나 사람 등의 대상을 써요.

feel like + [대상]: ~이 된 기분이다

I feel like a superstar.
나는 슈퍼스타가 된 기분이다.

We feel like outsiders.
우리는 이방인이 된 기분이다.

They felt like friends.
그들은 친구가 된 기분이었다.
＊ 지나간 일에 대해 말할 때 feel은 felt로 변해요.

He felt like a new person.
그는 새로운 사람이 된 기분이었다.

우리말과 뜻이 통하도록 네모 안에 들어 있는 말을 바르게 배열해 보세요.

1. 나는 선생님이 된 기분이다.

a teacher	I	feel like
선생님	나	~이 된 기분이다

I feel like ------------------------------------- .

2. 나는 어른이 된 기분이다.

feel like	an adult	I
~이 된 기분이다	어른	나

------------------------------------- .

3. 그들은 그의 부모님이 된 기분이었다.

they	his parents	felt like
그들	그의 부모님	~이 된 기분이었다

------------------------------------- .

4. 그녀는 그 성의 여왕이 된 기분이었다.

felt like	she	the queen of the castle
~이 된 기분이었다	그녀	그 성의 여왕

------------------------------------- .

꼭 기억하세요

feel like 다음에 [동작]ing를 쓰면 "~하고 싶다"라는 뜻이 돼요.

I feel like crying now.
나는 지금 울고 싶다.

I feel like dancing all night.
나는 밤새도록 춤추고 싶다.

89

VOCABULARY

행진하다

march

곳곳에

all over

꼭대기, 윗면

top

언덕

hill

왕

king

용

dragon

괴물

monster

마법의

magic

나무

tree

피곤한

tired

앉다

sit down

밑에

under

팔

arm

주위에, 빙 둘러

around

기쁜

glad

(눈을) 감다

close

소년

boy

함께

together

VOCABULARY QUIZ

1 알파벳을 연결해서 단어를 만들고, 알맞은 그림과 연결해 보세요.

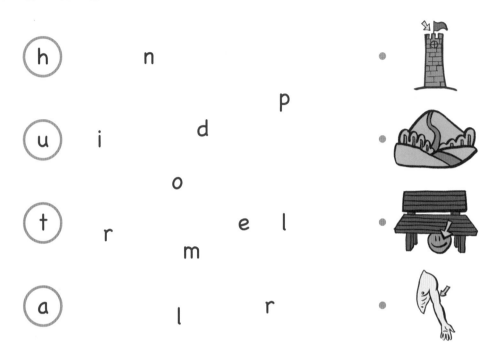

(h)   n

(u)   i   p
           d

          o

(t)   r   e   l
         m

(a)   l   r

2 빈칸에 알맞은 알파벳을 넣어 단어를 완성해 보세요.

b _ _   _ i _ _ d   _ ra _ _ _   t _ g _ th _ _

_ a _ _ c   s _ _ down   _ _ _ over   m _ _ st _ _

3 그림을 보고 알맞은 단어를 넣어 퍼즐을 완성해 보세요.

→ Across
ⓐ ⓑ ⓒ ⓓ

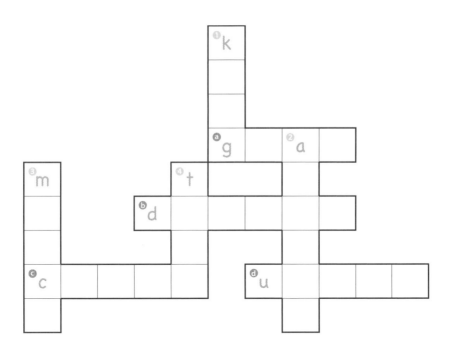

↓ Down
❶ ❷ ❸ ❹

1 이야기의 순서에 맞게 그림을 배열해 보세요.

a

Henry and Mudge found a magic tree for a king and his dragon.

b

Henry and Mudge chased other kings and dragons away.

c

Henry and Mudge fell asleep together on the green hill.

d

Henry and Mudge got tired and could not march anymore.

2 다음 질문에 알맞은 답을 선택해 보세요.

1) Which did NOT happen when Henry and Mudge played on the green hill?

   a. They met other kings who had dragons.

   b. They marched all over the green hill.

   c. They got scared by monsters and hid under the tree.

2) What did Mudge do when he met monsters?

   a. He hit them.

   b. He ran away from them.

   c. He ate them.

3) What did Henry and Mudge do under the tree?

   a. They slept together.

   b. They ate their snacks together.

   c. They read one of Henry's books together.

3 책의 내용과 일치하면 **T**, 그렇지 않으면 **F**를 적어 보세요.

1) Henry and Mudge marched all over the top of the hill.   _____

2) Henry and Mudge played with other kings and dragons.   _____

3) Henry and Mudge were glad for the magic tree.   _____

PATTERN DRILL

They found a magic tree **on** the green hill.
그들은 초록색 언덕 위에 있는 마법 나무를 발견했다.

Henry and Mudge sat down **under** the tree.
헨리와 머지는 나무 아래에 앉았다.

헨리와 머지가 올라간 '언덕 위', 헨리와 머지가 앉은 '나무 아래'처럼 위치를 나타낼 때 사용하는 영어 표현을 알아볼까요? **"~ 위에"**라고 말할 때는 on 다음에 사람, 사물, 장소 등의 대상을 쓰고, **"~ 아래에"**라고 말할 때는 under 다음에 사람, 사물, 장소 등의 대상을 써요.

on / under + [대상]: ~ 위에 / ~ 아래에

There are boats **on** the lake.
호수 위에 배들이 있다.

My cat slept **under** the bed.
내 고양이는 침대 아래에서 잤다.

The players run fast **on** the track.
선수들이 경주로 위를 빠르게 달린다.

My mother put the rug **under** the table.
내 어머니는 탁자 아래에 깔개를 놓았다.

우리말과 뜻이 통하도록 네모 안에 들어 있는 말을 바르게 배열해 보세요.

1. 그들은 언덕 위에 섰다.

they	the hill	on	stood
그들	언덕	~ 위에	섰다

They stood

-- .

2. 내 가방은 책상 아래에 있다.

under	my bag	the desk	is
~ 아래에	내 가방	책상	있다

-- .

3. 나는 봉투 위에 우표 한 장을 붙였다.

on	I	stuck	the envelope	a stamp
~ 위에	나	붙였다	봉투	우표 한 장

-- .

4. 그는 침대 아래에서 그의 휴대 전화를 찾았다.

he	under	his cell phone	found	the bed
그	~ 아래에	그의 휴대 전화	찾았다	침대

-- .

5. 그녀는 선반 위에 그 책을 놓았다.

on	the book	the shelf	she	put
~ 위에	그 책	선반	그녀	놓았다

-- .

97

ANSWERS

Part 1

Vocabulary Quiz

1.
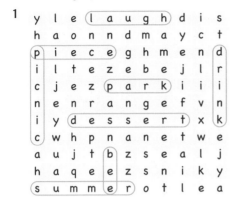

2.
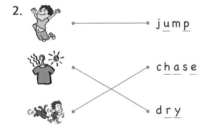

j u m p

ch a s e

d r y

3. eat / summer / pear / table
   both / pack / ant / food

Wrap-up Quiz

1. a ⟶ c ⟶ b ⟶ d

2. 1) b   2) b   3) a

3. 1) T   2) F   3) T

Pattern Drill

1. I like to dance.

2. They loved to watch baseball games.

3. My father and I like to cook.

4. I love to go out on weekends.

5. He liked to pat his puppy.

Part 2

Vocabulary Quiz

1.
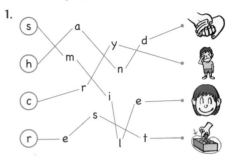

2. hurt / sniff / puffy / cookie
   circle / eye / bite / white

3.
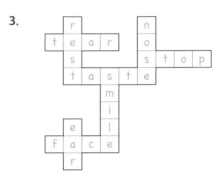

Wrap-up Quiz

1. a ⟶ d ⟶ c ⟶ b

2. 1) c   2) b   3) a

3. 1) F   2) T   3) F

Pattern Drill

1. I wait for my birthday.

2. They wait for their turn.

3. He waited for the test result.

4. We waited for the light.

5. People waited for ice cream in line.

Part 3

Vocabulary Quiz

1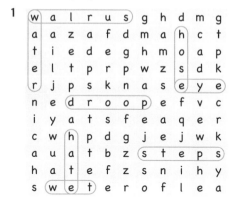

2.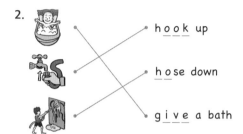

h o o k up

h o se down

g i v e a bath

3. hot / play / cool off / look for
   hide / yard / tail / eye

Wrap-up Quiz

1. b ⋯→ d ⋯→ c ⋯→ a
2. 1) b   2) a   3) b
3. 1) F   2) F   3) F

Pattern Drill

1. I try to study English.
2. Firefighters try to put out the fire.
3. He tried to catch mosquitoes.
4. We tried to finish our homework.
5. I tried to persuade my mother.

Part 4

Vocabulary Quiz

1.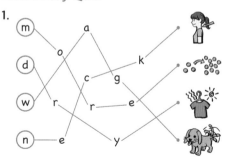

2. laugh / chest / scrub / leg
   back / soap up / stomach / look at

3.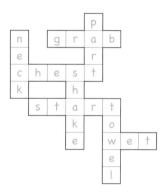

Wrap-up Quiz

1. b ⋯→ c ⋯→ a ⋯→ d
2. 1) b   2) a   3) c
3. 1) T   2) F   3) T

Pattern Drill

1. They started laughing.
2. The crowd started cheering for the
   players.
3. The dog started licking his hand.
4. They started delivering the food.
5. She started playing golf.

ANSWERS

Part 5

Vocabulary Quiz

1.
```
x  a (b  e  s  i  d  e) u  h  g
c  a  e  y  f  d  m  a  u  l  t
(b  i  l  x  e  g  g) m  e  g  a
 l  a  o  z  z  e  r  y  l  k  s
 u  j (w  u  k  n  e  s  y  e  f
(e  e  d (f  i  r  e  b  a  l  l)
 p  y  a  t  s  f (n) a  q  e  r
 w  h  p  s  d  j  v  e  a  h  k
(d  r  a  g  o  n) t  h  j  p  s
 a  t  e  v  f  t (s  w  i  n  g)
(w  o  o  d  e  n) t  u  q  e  a
```

2.
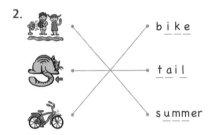

bike
tail
summer

3. hill / blue / top / name
   king / white / wag / scary

Wrap-up Quiz

1. c ⟶ a ⟶ b ⟶ d

2. 1) a   2) b   3) b

3. 1) F   2) T   3) F

Pattern Drill

1. I feel like a teacher.

2. I feel like an adult.

3. They felt like his parents.

4. She felt like the queen of the castle.

Part 6

Vocabulary Quiz

1.
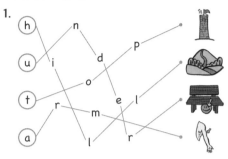

2. boy / tired / dragon / together
   magic / sit down / all over / monster

3.
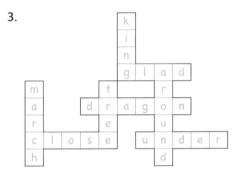

Wrap-up Quiz

1. b ⟶ d ⟶ a ⟶ c

2. 1) c   2) c   3) a

3. 1) T   2) F   3) T

Pattern Drill

1. They stood on the hill.

2. My bag is under the desk.

3. I stuck a stamp on the envelope.

4. He found his cell phone under the bed.

5. She put the book on the shelf.